Bienv[illegible]alacio de [illegible] Artes

A simple vista es un imponente edificio de mármol que destaca entre la avenida Juárez, la avenida Hidalgo y el Eje Central Lázaro Cárdenas, en el centro de la ciudad de México. Si nos detenemos para conocerlo descubriremos que este gigante tiene una historia que contar y un gran corazón. Es el Palacio de Bellas Artes. Se llama así por ser un edificio **monumental** y elegante, abierto al público, donde tienen lugar manifestaciones artísticas muy variadas. Aquí podemos disfrutar las *bellas artes*, las que crean obras bellas como la arquitectura, la pintura, la escultura, la música, el teatro, la danza y la literatura. En su rica ornamentación es posible admirar objetos que conjugan la utilidad y la belleza, producidos por las *artes decorativas* o *artes aplicadas* y reflejo de los gustos de otras épocas. Por si fuera poco el Palacio también brinda la oportunidad de apreciar el *arte contemporáneo*, el de nuestro tiempo. Esta Guía te mostrará cómo disfrutar más tu visita. Exploremos el Palacio.

Un Palacio en construcción

El 2 de abril de 1904 el presidente Porfirio Díaz colocó la primera piedra de lo que sería el Palacio de Bellas Artes. Entre la llamada "alta sociedad", aunque se imitaban modas europeas en las costumbres cotidianas como el vestido y la comida, en la arquitectura y en la decoración de casas y edificios, ya se procuraba que tuvieran elementos inspirados en el México prehispánico y virreinal. Por eso, se pensó demoler el Teatro Nacional existente, y construir uno nuevo. El proyecto se encargó al arquitecto italiano Adamo Boari.

En esa época, conocida como* porfiriato, *aún había en México una gran influencia de los estilos europeos

Las características que distinguen a las obras originadas en un lugar o época determinados forman un *estilo*

El edificio tendría un esqueleto o armazón de hierro y acero. Primero se pusieron los **cimientos**. Luego se armó la **estructura** metálica y después se recubrió. Se pensó que la construcción duraría cuatro años, pero debido al hundimiento del suelo, a la falta de dinero y al movimiento revolucionario iniciado en 1910 que dio fin al porfiriato, los trabajos prácticamente estuvieron detenidos durante décadas. Hasta 1932, con el arquitecto mexicano Federico Mariscal a la cabeza, se reanudaron las obras.

Comparable con la Ópera de París

Adamo Boari pensó en un nuevo Teatro Nacional, "lujoso y con todos los adelantos de la época", comparable con el de la Ópera de París, que en aquellos tiempos era el teatro más importante del mundo, por su tamaño y sus adelantos técnicos. Boari eligió el estilo del llamado *art nouveau.* Poco a poco, el Palacio imaginado y proyectado por Boari fue tomando forma.

En la parte superior hay una triple **cúpula**. El grupo escultórico en bronce colocado sobre la cúpula principal fue diseñado por el artista húngaro Géza Maróti y realizado en Budapest, Hungría; está constituido por cuatro figuras aladas que representan el **Drama**, el Drama **Lírico**, la **Comedia** y la **Tragedia**. Corona este conjunto el águila azteca, símbolo nacional, con las alas extendidas y devorando una serpiente.

A punto de emprender el vuelo

Como en la época porfiriana se tenía gran admiración por la cultura europea, no sólo se adoptó la arquitectura, sino que también se trajeron del viejo continente los materiales de construcción, así como arquitectos y profesores franceses, italianos y de otras nacionalidades. Uno de ellos fue el escultor español Agustín Querol, autor de unos

monumentales pegasos que iban a ser colocados en los cuatro ángulos de la **estructura** exterior que cubre el escenario. Estos corceles alados, a punto de emprender el vuelo, simbolizan la ascensión o elevación de los Genios del **Drama** y la **Lírica** hacia el Parnaso, montaña mitológica consagrada a Apolo, morada de las musas.

Debido a su tamaño y a problemas técnicos no fue posible ponerlos en el lugar al que estaban destinados originalmente y se distribuyeron en cuatro **pedestales** de mármol frente al Palacio, en la Plaza de Bellas Artes, donde se encuentran actualmente.

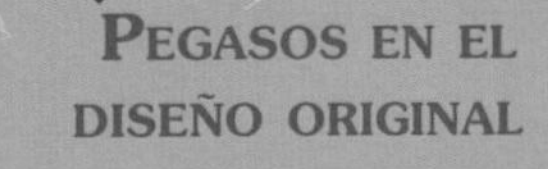

La armonía

Este tímpano remata el frontispicio del pórtico

Vamos a detenernos en las fachadas, recubiertas con mármol blanco traído de Carrara, Italia. Las esculturas que sirven de adorno u ornamento y las columnas son también de mármol de Carrara. En el **tímpano** del arco superior de la fachada principal, sobre el **pórtico**, hay un grupo **escultórico**, realizado por el italiano Leonardo Bistolfi.

La figura central de una mujer desnuda simboliza *La armonía*,

LA ARMONÍA

EL BESO

EL DOLOR Y LA TRISTEZA

está rodeada de figuras **alegóricas** en **altorrelieve**. Las estatuas que se encuentran a los lados del pórtico de entrada fueron esculpidas por artistas franceses y representan: *La edad viril* y *La juventud*. Las que están en los **nichos** de las terrazas de la fachada principal y de las fachadas laterales representan: *La fuerza*, *La paz*, *La elocuencia*, *El trabajo*, *La verdad* y *La ley*. Originalmente estaban pensadas para adornar el Palacio del Poder Legislativo, que debido a la Revolución no se terminó.

La juventud

Mascarones y florones

En su proyecto del nuevo Teatro Nacional, Boari trató de mexicanizar el *art nouveau* con motivos tomados de la fauna y la flora de México, así como elementos prehispánicos. Fíjate en las fachadas y encontrarás cabezas de coyote, chivo y mono, así como de guerrero tigre y de guerrero águila. Estos adornos arquitectónicos a manera de máscaras esculpidas se llaman **mascarones**. A su vez, los detalles ornamentales que representan flores se llaman **florones**, en este caso son imágenes **estilizadas** de flores mexicanas. Fiorenzo Gianetti fue el creador de esta serie de piezas talladas en mármol de Carrara.

Irata,
La ira

El mismo artista encargado de hacer los **mascarones** mencionados y los modelos de flores como la amapola, la flor de ocote y el girasol, diseñó también los mascarones que representan las estaciones del año y emociones como la ira, la alegría y la tristeza.

ESTA CABEZA DE PERRO ES EL RETRATO DE AÍDA, LA MASCOTA DE BOARI. BÚSCALA

JOCUNDUS, LA ALEGRÍA

Entremos al Palacio

EL ÁREA DEL INTERIOR DE UN EDIFICIO MÁS PRÓXIMA A LA PUERTA DE ENTRADA SE LLAMA *VESTÍBULO*

Por fuera, el Palacio es blanco, casi todo de mármol de Carrara. El interior también está recubierto con el mismo material pero éste es nacional y de distintos colores. Lo seleccionó el arquitecto Mariscal para el majestuoso vestíbulo que antecede a la entrada principal de la sala de espectáculos. Además de mármol, se utilizaron bronce, acero y cristal para la decoración. A los lados de la escalinata se elevan dos fuentes de luz.

ÓNIX DE OAXACA

ROJO CLARO CON VETAS BLANCAS DE DURANGO

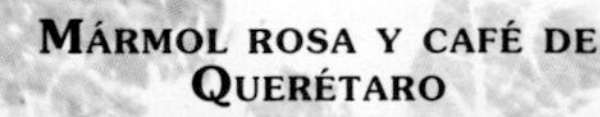

MÁRMOL ROSA Y CAFÉ DE QUERÉTARO

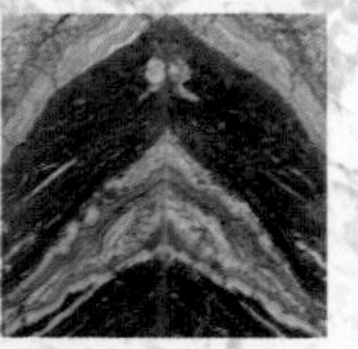

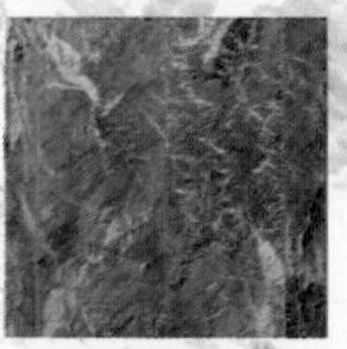

MÁRMOL NEGRO DE MONTERREY

LÁMPARAS DE ACERO Y CRISTAL ESMERILADO

Desde las alturas domina Chac, el dios maya de la lluvia, representado en los mascarones del tercer piso. La puerta de acceso al *foyer*, formada por dos hojas de metal, está decorada con grecas y máscaras que nos recuerdan nuestro pasado prehispánico.

CHAC

Primera llamada, primera

Palco lateral

Palco presidencial

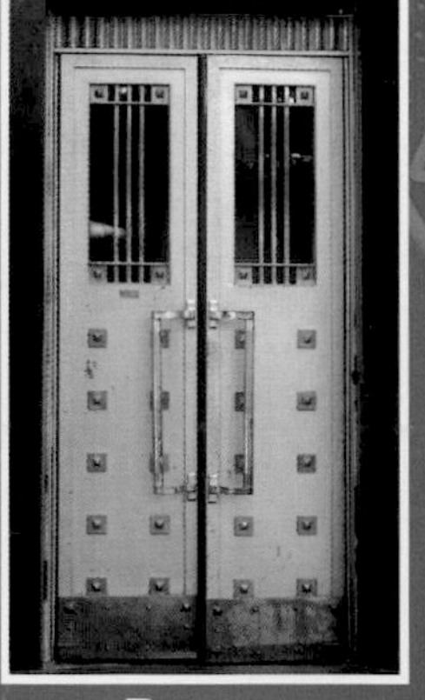
Puerta lateral del escenario

Imaginemos que estamos ahí. Las puertas de acceso al teatro están abiertas, pasamos y tenemos ante nosotros una sala de espectáculos que nos deja boquiabiertos. Es el corazón del Palacio de Bellas Artes. La sala tiene la forma de un gran embudo, esto dirige la vista y el oído hacia el escenario y permite mejores efectos visuales y acústicos. Entregamos nuestro boleto a una de las señoritas acomodadoras que nos lleva hasta nuestro lugar. Escuchamos la "primera llamada, primera". Sentados en una cómoda butaca podemos observar a nuestro alrededor: los palcos aislados laterales, doce de cada lado; los palcos generales, lunetas y galerías; a media sala, está situado el palco presidencial, reservado para el presidente de la República y sus invitados. El **aforo** de la sala es de casi dos mil butacas, por cierto ahora más separadas que antes para mayor comodidad de los **espectadores**. Han pasado más de 70 años desde su inauguración y gracias a los trabajos de restauración nuestro Palacio no sólo se conserva en excelentes condiciones, según el proyecto original, además ha sido mejorado en muchos aspectos, de manera que los visitantes se sientan tratados *a cuerpo de rey*.

Mira al piso y encuentra esta bonita tapa

ARCO DEL PROSCENIO
FORMA DE EMBUDO
GALERÍA
PALCOS
LUNETA
PROSCENIO
BUTACAS

Única en el mundo

De las obras de arte ordenadas por Boari para el Palacio, la más famosa es la cortina contra incendios, hecha de acero y zinc, con un revestimiento de cristal **opalescente** y un peso aproximado de 22 toneladas. Fue ejecutada por la casa Tiffany de Nueva York. A modo de un gigantesco rompecabezas, casi un millón de piezas de cristal de colores forman el paisaje de los volcanes del Valle de México, el Popocatépetl y el Iztaccíhuatl, visto a través de un gran ventanal. Se ha dicho que el autor de este paisaje fue el pintor Gerardo Murillo, mejor conocido como el Dr. Atl, pero esto es falso según estudiosos de su vida y obra, e investigadores de la historia

EN ESTE DETALLE DE LA BASE DE LA CORTINA SE NOTA EL EXCELENTE TRABAJO REALIZADO POR LOS ARTESANOS QUE CORTARON LAS TESELAS O PIEZAS DE VIDRIO, COMBINARON LOS COLORES Y LAS COLOCARON

del Palacio de Bellas Artes. Hugh F. McKean, basado en el archivo de Louis Tiffany, concluye que la admirable cortina es "el resultado de la creación de muchas personas inteligentes", refiriéndose al presidente Díaz, que solicitó la cortina a Tiffany; al escenógrafo Harry Stoner, enviado por la misma casa para hacer la pintura del paisaje, y a los artesanos que la realizaron. Le faltó mencionar a Boari.

Cada tesela mide dos centímetros

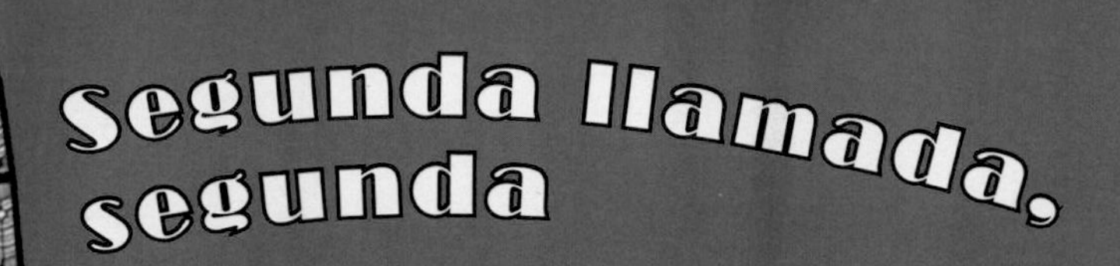

Admiremos el **plafón** que ilumina la sala de espectáculos. Este **vitral**, creado por el artista Géza Maróti, representa al dios griego de las artes, Apolo, rodeado por las musas. Según la mitología griega, éstas inspiran a los hombres, son hijas del dios Zeus y de Mnemosina, diosa de la memoria y viven en el Olimpo. ¿Quién habrá sido la musa que le inspiró este plafón a Maróti?

¿Verdad que mi vitral es divino?

Te presentamos a las musas

Calíope, la musa de la poesía épica, canta las grandes hazañas de los pueblos y de los héroes

Euterpe, la diosa de la música, lleva una flauta

Clío, la musa de la historia, sostiene en sus manos un aparato para medir el tiempo

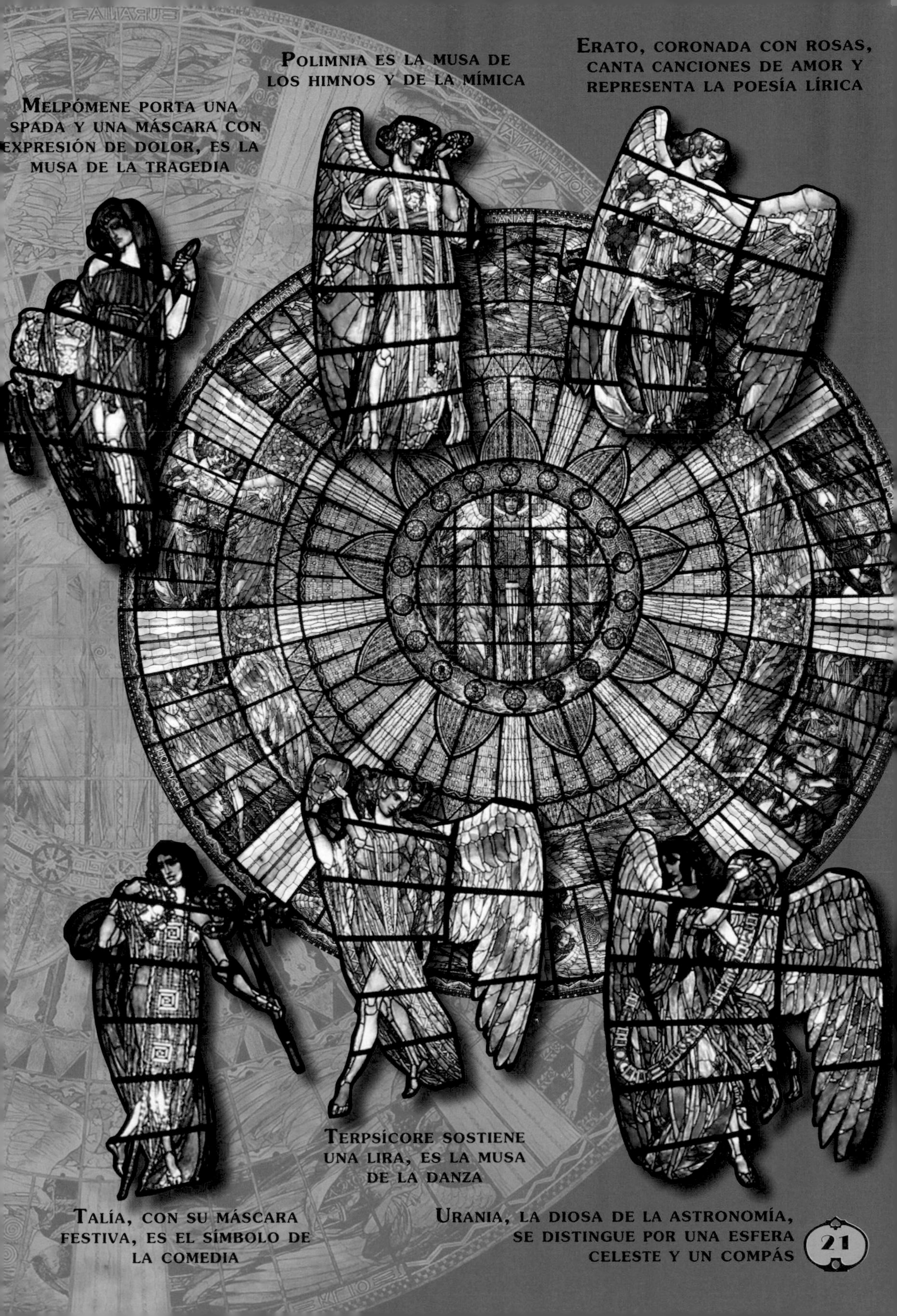

Polimnia es la musa de los himnos y de la mímica

Erato, coronada con rosas, canta canciones de amor y representa la poesía lírica

Melpómene porta una spada y una máscara con expresión de dolor, es la musa de la tragedia

Terpsícore sostiene una lira, es la musa de la danza

Talía, con su máscara festiva, es el símbolo de la comedia

Urania, la diosa de la astronomía, se distingue por una esfera celeste y un compás

Reflejos de oro

TRES MUSAS

MITO ROMANO

JASÓN CON EL VELLOCINO DE ORO

DANTE

DOS ALMAS PERDIDAS POR EL AMOR

ALTAR ANTIGUO

Al frente de la sala, en la parte del escenario más cercana al público, está el **proscenio**, cuyo arco fue decorado con un mural de mosaico, otra obra artística de Géza Maróti. El mural está dedicado a la historia del teatro, y es conocido como *El arte teatral a través de las edades*. Sobre un fondo con tonalidades de *oro viejo*, se aplicaron lascas de vidrio de distintos colores, con incrustaciones de un material colorante y reflejos metálicos.

LASCA ES UN TROZO PEQUEÑO Y DELGADO DE PIEDRA O DE VIDRIO

¡Qué dibujo! Mira lo bien adaptadas que están las figuras a la forma del arco
Vírgenes tocando música
Época de los Nibelungos
Hamlet
Fauno
Portadora de agua
Violinista
Altar
Arpista
1910
El mural tiene 26 figuras en una superficie de 55 metros cuadrados

Tercera llamada ¡Comenzamos!

Las luces de la sala se apagan y empieza la magia del espectáculo artístico que cada año, en el mes de diciembre, presenta la Compañía Nacional de Danza (CND): el **ballet** *El cascanueces*, un cuento de navidad bailado con música del compositor ruso Piotr I. Tchaikovsky. Marius Petipa escribió el libreto basado en un cuento de Hoffman. La **coreografía** es de Nina Novak. Paso a paso, bailarinas y bailarines van contando la historia con la expresividad del lenguaje corporal y la **mímica**. Niñas y niños se suman a la danza.

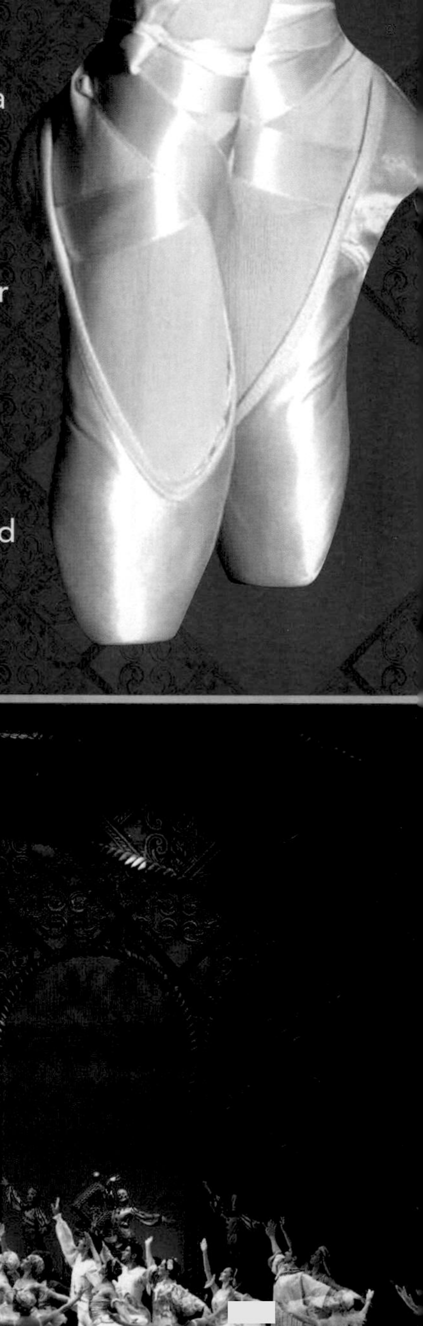

Otras de las grandes producciones de la misma Compañía son: *Romeo y Julieta, Don Quijote, Carmen, El lago de los cisnes, Coppélia, Carmina Burana* y *Esquina bajan*. Estas dos últimas son de la coreógrafa Nellie Happee. En la segunda, recreó su experiencia de adolescente viajando en camión por toda la ciudad, y utilizó música de compositores populares como Agustín Lara y Dámaso Pérez Prado, con la que le encantaba bailar en su juventud. Dice la maestra Happee: "*Fue así como me lancé a crear Esquina bajan –mi pequeño homenaje a esta ciudad que es tan mía*".

De puntas, descalzos o con tacones

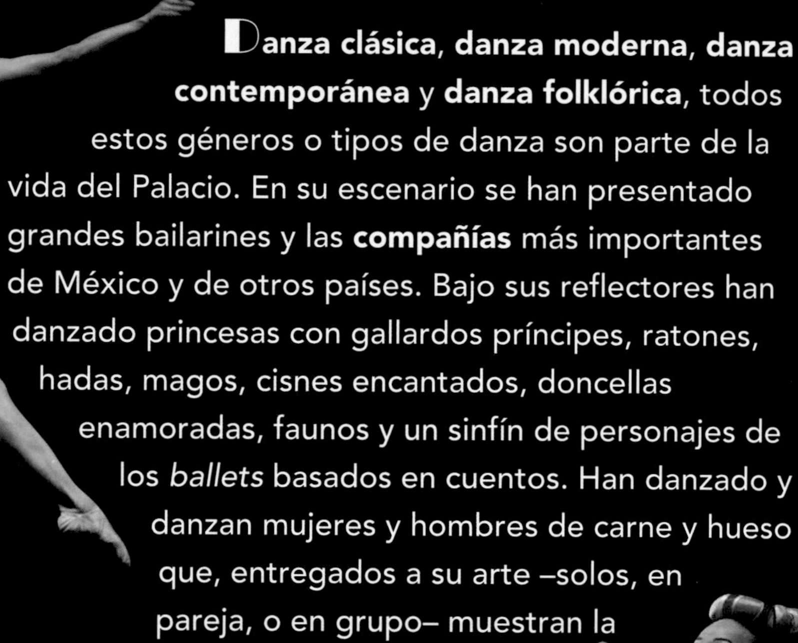

Danza clásica, **danza moderna**, **danza contemporánea** y **danza folklórica**, todos estos géneros o tipos de danza son parte de la vida del Palacio. En su escenario se han presentado grandes bailarines y las **compañías** más importantes de México y de otros países. Bajo sus reflectores han danzado princesas con gallardos príncipes, ratones, hadas, magos, cisnes encantados, doncellas enamoradas, faunos y un sinfín de personajes de los *ballets* basados en cuentos. Han danzado y danzan mujeres y hombres de carne y hueso que, entregados a su arte –solos, en pareja, o en grupo– muestran la belleza y la expresividad del cuerpo humano, el gozo del movimiento corporal al compás de un ritmo.

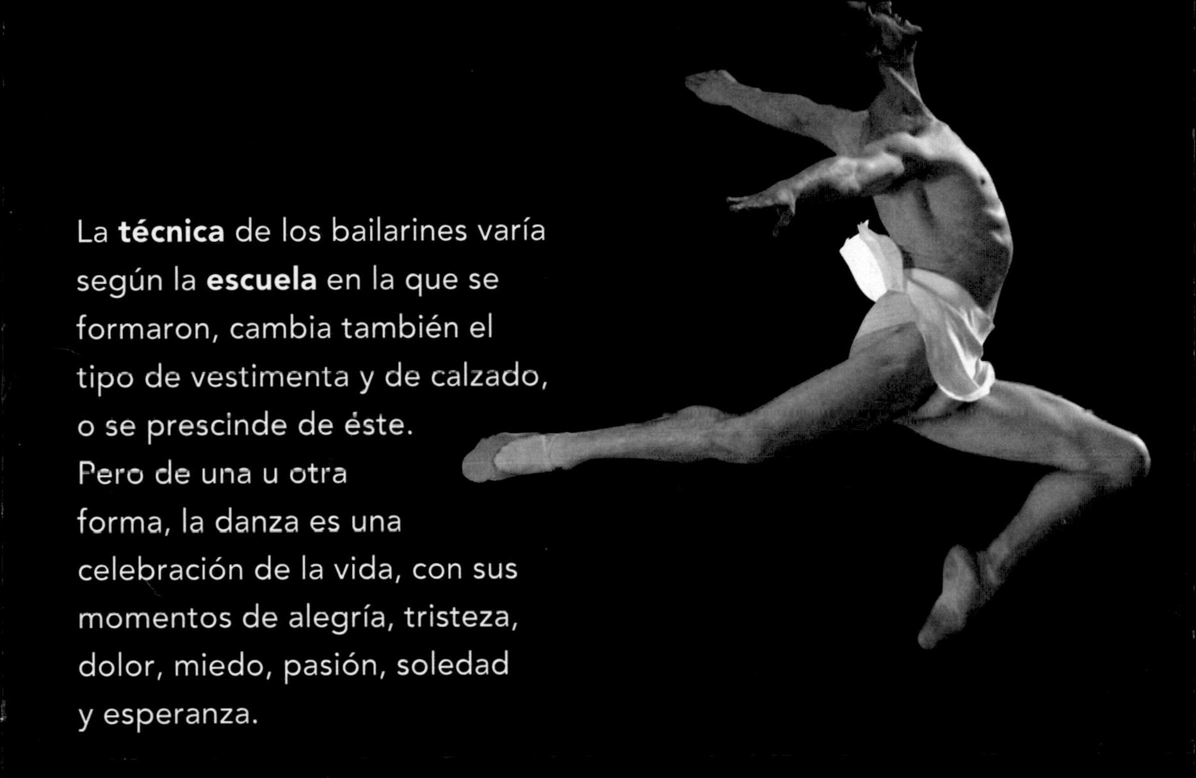

La **técnica** de los bailarines varía según la **escuela** en la que se formaron, cambia también el tipo de vestimenta y de calzado, o se prescinde de éste. Pero de una u otra forma, la danza es una celebración de la vida, con sus momentos de alegría, tristeza, dolor, miedo, pasión, soledad y esperanza.

COMPAÑÍA ES UN GRUPO ORGANIZADO DE ARTISTAS

Abierto a toda la música

Desde el día de su inauguración, música de todos los tiempos, de todo el mundo y para todos los gustos ha sonado en el Palacio de Bellas Artes. En su sala principal, el público ha escuchado a grandes pianistas, cantantes, chelistas, arpistas, violinistas, guitarristas, saxofonistas, trompetistas, etcétera. Allí se han presentado los mejores intérpretes nacionales y extranjeros de la música mexicana de concierto, la música clásica, la **ópera**, el *jazz*, la música popular y el ***folklore*** latinoamericano. La sala *Manuel M. Ponce* da cabida a **orquestas de cámara** y solistas. Un recuento de los intérpretes, compositores, directores y orquestas que han desfilado por el Palacio demuestra que nuestro querido gigante ha abierto su corazón a toda la música, la buena música, sea clásica o popular, antigua, moderna o contemporánea, bien tocada e interpretada. Su corazón se ha llenado de gozo con las notas de Mozart y Beethoven, de Carlos Chávez y Prokofiev; con voces como las de María Callas, Plácido Domingo y Ramón Vargas; también ha brincado de gusto con el canto de Lola Beltrán.

El Palacio de Bellas Artes es la sede de la Orquesta Sinfónica Nacional, de la de Cámara de Bellas Artes y de las Compañías Nacionales de Danza, de Ópera y de Teatro

Arriba el telón

La noche de la inauguración del Palacio, el 20 de septiembre de 1934, hubo una función de gala. La Orquesta Sinfónica de México, dirigida por el maestro Carlos Chávez, interpretó la **Sinfonía** *Pastoral*, de Ludwig van Beethoven. Después del intermedio, se levantó la cortina de cristal y la Compañía Dramática del Palacio de Bellas Artes representó *La verdad sospechosa*, obra del gran **dramaturgo** novohispano Juan Ruiz de Alarcón. El escenario giratorio y los equipos mecánico y de iluminación contribuyeron a que la cambiante escenografía fuera impresionante.

María Tereza Montoya,
La verdad sospechosa, 1934

¡Qué maravilla de teatro!
¡No hay otro igual!

El mercader de Venecia

A lo largo de los años, en ese **foro** se han **escenificado** obras del teatro mexicano y del teatro universal. Allí mismo, en 1949, nació el programa de Teatro escolar, idea del escritor Salvador Novo. Desde entonces muchas generaciones de alumnos de educación básica han asistido a las **temporadas** dedicadas a ellos, en las que se presentan **montajes** a cargo de directores, escenógrafos y actores con gran experiencia.

Primera salida al teatro

Detrás del escenario

Cuando disfrutamos un espectáculo presentado en un **escenario**, no imaginamos todo lo que hay detrás: el trabajo de los autores, –**compositores**, **coreógrafos** o **dramaturgos**– según el arte de que se trate; las horas de preparación del director, de los actores, cantantes, músicos y bailarines. El trabajo de las personas que diseñan y crean la **escenografía**, el vestuario y el maquillaje; de los técnicos encargados del sonido, la música, la iluminación, los efectos especiales y la **utilería**, en fin... En el caso del Palacio, desde la época de Boari se instaló toda la maquinaria del escenario, el equipo eléctrico, los aparatos para simular viento, lluvia, tempestad, niebla, nevadas y otros fenómenos naturales; además de la plataforma movible para la orquesta. Hoy nuestro Palacio cuenta con modernos sistemas de iluminación y de acústica, y está considerado uno de los teatros más importantes y grandes del mundo.

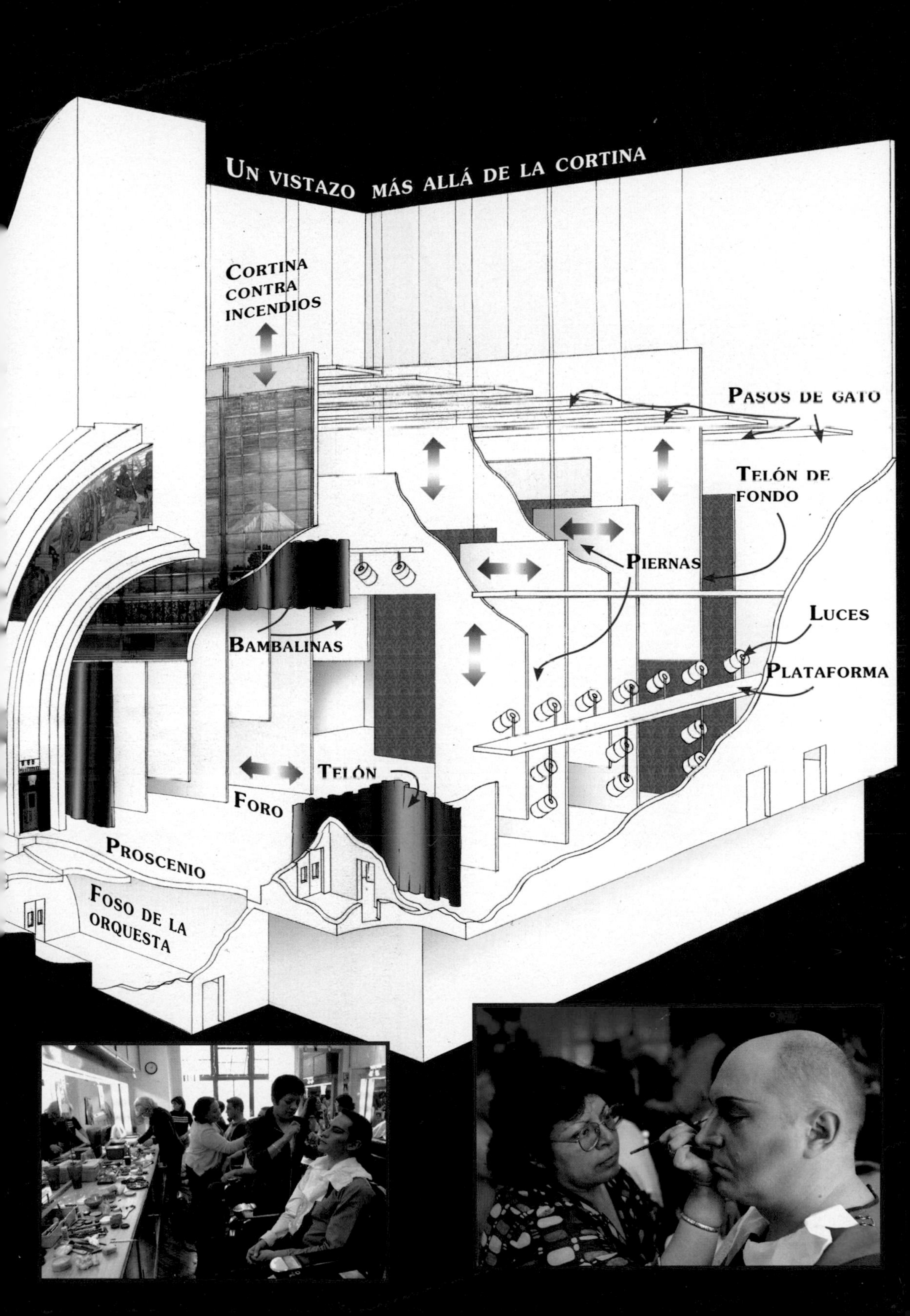
Un vistazo más allá de la cortina
Cortina contra incendios
Pasos de gato
Telón de fondo
Piernas
Luces
Plataforma
Bambalinas
Telón
Foro
Proscenio
Foso de la orquesta

Museo del Palacio de Bellas Artes

Bajo la triple cúpula y distribuidas en la planta baja, el primero y el segundo pisos, se encuentran las salas del Museo del Palacio de Bellas Artes. Allí puede verse la exposición permanente de obras de los grandes **muralistas** mexicanos. Las muestras de artes plásticas en el Palacio, además de pintura, grabado y escultura, han incluido artes decorativas, artes populares y diseño. El Museo del Palacio presenta **exposiciones temporales**, de arte moderno y contemporáneo, como la destacada *El mito de dos volcanes*. Abarcan fotografía, pintura, **escultura**, **arte-objeto**, **urbanismo** y **arquitectura**. Algunas de las más visitadas en décadas recientes fueron las de los maestros **impresionistas**; los escultores Auguste Rodin, Camille Claudel y Henry Moore; los artistas de vanguardia o de avanzada Andy Warhol y Roy Lichtenstein; y el escultor vasco Eduardo Chillida, además de Josep Koudelka y Alberto Gironella.

El hombre en el cruce de caminos

Originalmente este mural fue encargado a Diego Rivera por un millonario estadounidense, Nelson Rockefeller, para un edificio del Centro Rockefeller, en Nueva York. El pintor tenía en mente una obra que representara al hombre en el cruce de caminos, mirando al futuro, "hacia la armonía y la amistad y hacia el control de las fuerzas naturales mediante altos conocimientos científicos". Rivera incluyó en el mural a destacados socialistas con los que Rockefeller no estaba de acuerdo, y se negó a quitarlos, por lo cual fue despedido y su obra, destruida. Entonces el gobierno mexicano lo contrató para que reprodujera el mural en el Palacio de Bellas Artes.

La figura central de esta **composición** simétrica representa la inteligencia humana, el hombre inventor, ingeniero y obrero. El pintor critica a la sociedad **capitalista**, representada por un grupo de **burgueses** que se divierten. Tampoco escapan a la mirada del artista la amenaza de la guerra ni la represión policíaca del movimiento obrero. Del otro lado, Rivera presenta su visión del **socialismo marxista**. Si observas parte por parte encontrarás muchos detalles interesantes, como las imágenes de Darwin y su teoría del origen del hombre, de Lenin y los trabajadores, de Engels, Marx y Trostky. En esta **obra maestra** apreciamos el excelente manejo del color del gran muralista.

Khatarsis

¿Con qué palabras podemos describir este mural? ¿Qué sustantivos vienen a tu mente ante esta obra maestra? ¿Destrucción? ¿Caos? ¿Pesadilla? ¿Qué adjetivos elegir para calificar esta escena? ¿Horrenda? ¿Terrible? Cualquiera de estas palabras parece apropiada. El maestro Justino Fernández dijo que para expresar la fealdad y el horror "no hay quien iguale" al pintor José Clemente Orozco. En esta escena infernal el autor reunió hombres que luchan cuerpo a cuerpo; mujeres pintarrajeadas que ríen pero no de alegría, su risa es una mueca desagradable; hombres que levantan sus puños,

y manos que empuñan armas, rostros cadavéricos, fantasmales; máquinas que destruyen a los seres humanos; y al fondo, un incendio. Fíjate en los marcados contornos de las figuras, en la textura espesa de las pinceladas, el contraste de los colores encendidos y los grises metálicos. ¿Por qué se llama *Katharsis*? Porque esta palabra griega, que en español se escribe catarsis, significa *purificación de las pasiones por la contemplación de las obras de arte, en particular de la tragedia*. Según el crítico de arte Antonio Rodríguez, Orozco pintaba lo negativo para combatirlo.

Nueva democracia

David Alfaro Siqueiros es, junto con Diego Rivera y José Clemente Orozco, uno de los llamados "tres grandes" del muralismo mexicano. Pintó este mural en 1945, año en que llegó a su fin la Segunda Guerra Mundial. La figura central representa a una poderosa mujer de torso desnudo, que parece salir proyectada de un volcán, un gorro **frigio** cubre su cabeza, sus brazos abiertos muestran que ha roto unas pesadas cadenas. ¿Qué expresión dirías que tiene su rostro? ¿Hacia dónde dirige su mirada?

Con su mano derecha sostiene la antorcha encendida de la libertad. Del otro lado, un brazo con el puño cerrado se extiende hacia el frente; abajo yace un cuerpo con casco que representa el **fascismo** derribado. Este brazo, en otra fase del movimiento, levanta una flor que simboliza el arte y la vida. Al fondo, un paisaje de cenizas.

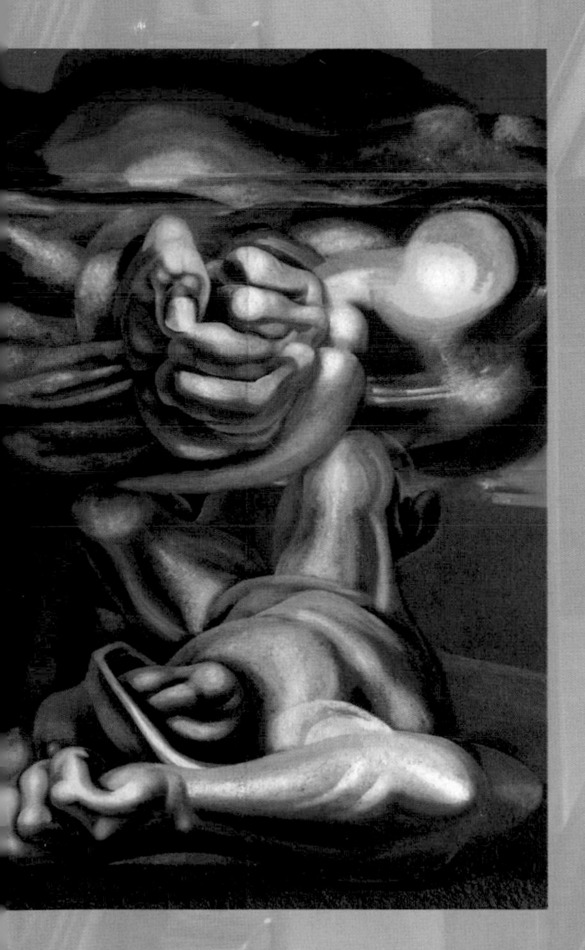

Siqueiros utilizó un método llamado "poliangular" pensando en el espectador que no se queda en un punto fijo, sino que observa la obra desde distintos ángulos. Trazos, colores, gestos, todo en esta obra expresa una fuerza tremenda.

El tema de este mural es la Conquista. Al centro, Tamayo pinta una atmósfera que anuncia calamidades. En el horizonte un trueno rasga la bruma y envuelto en un torbellino se aproxima un caballo relinchante; el jinete, "señor del relámpago", trae aparatos extraños: representa al conquistador español. A su paso deja templos destruidos. Según el crítico Antonio Rodríguez, para Tamayo el nacimiento de una nueva nación es como "el encuentro irresistible de dos mundos; algo así como unas nupcias cósmicas que se efectuasen en plena tormenta".

Nacimiento de la nacionalidad

Mientras ocurre el eclipse lunar "una mujer con senos de pirámide da a luz a un ser nuevo, que comparte el color terroso y pálido de los dos astros". Agrega el maestro Rodríguez: "Nunca un relincho había llenado de tanto asombro a la tierra y a los cielos como éste del caballo de la Conquista, que Tamayo interpretó con tanto vigor poético."

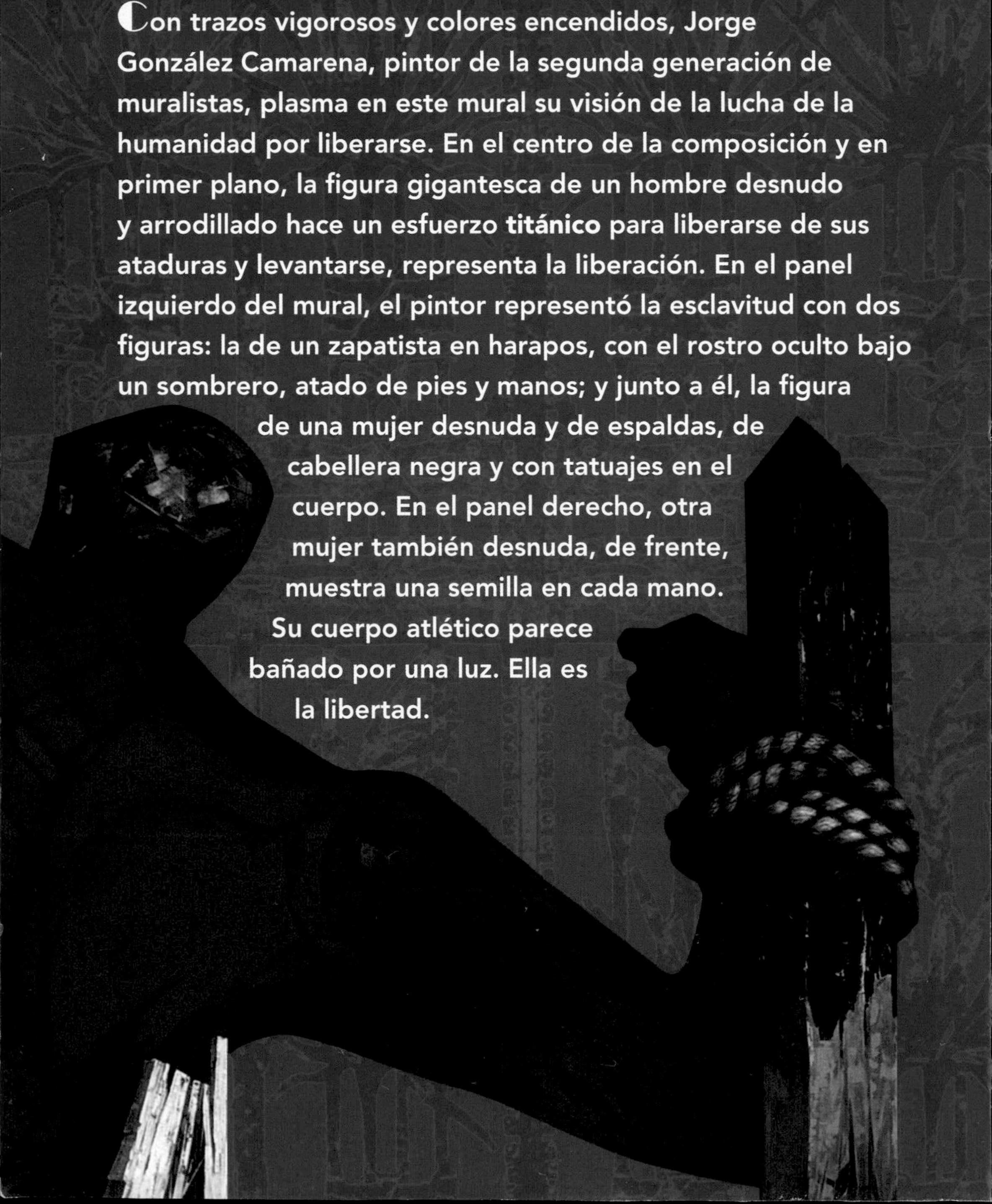

Con trazos vigorosos y colores encendidos, Jorge González Camarena, pintor de la segunda generación de muralistas, plasma en este mural su visión de la lucha de la humanidad por liberarse. En el centro de la composición y en primer plano, la figura gigantesca de un hombre desnudo y arrodillado hace un esfuerzo **titánico** para liberarse de sus ataduras y levantarse, representa la liberación. En el panel izquierdo del mural, el pintor representó la esclavitud con dos figuras: la de un zapatista en harapos, con el rostro oculto bajo un sombrero, atado de pies y manos; y junto a él, la figura de una mujer desnuda y de espaldas, de cabellera negra y con tatuajes en el cuerpo. En el panel derecho, otra mujer también desnuda, de frente, muestra una semilla en cada mano. Su cuerpo atlético parece bañado por una luz. Ella es la libertad.

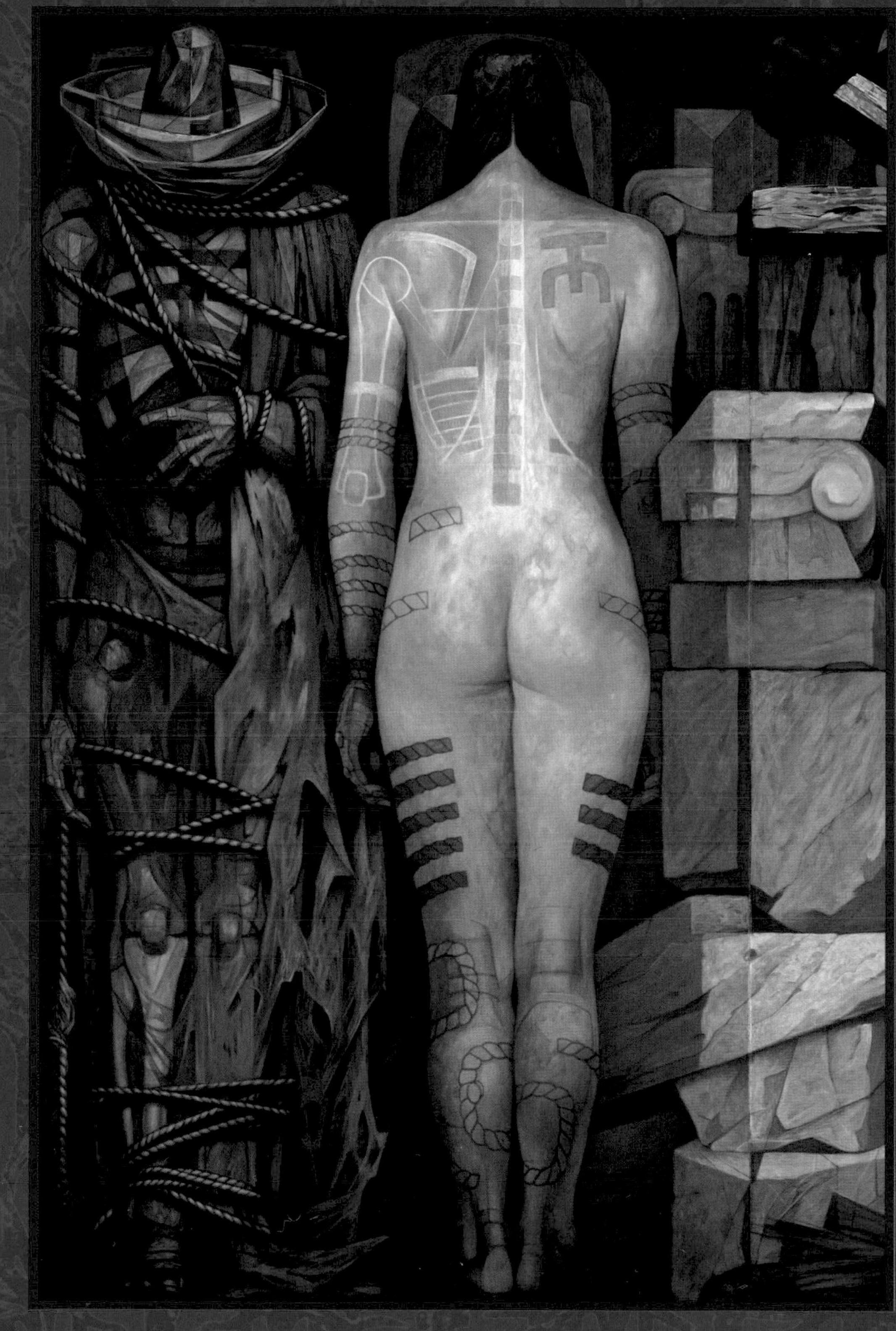

GONZÁLEZ CAMARENA BUSCÓ UNA FORMA DE EXPRESIÓN PROPIA, DISTINTA A LA DE OTROS MURALISTAS Y CREÓ UN SISTEMA DE COMPOSICIÓN O DE ORGANIZACIÓN DE LOS OBJETOS DE UN CUADRO BASADO EN LA GEOMETRÍA, LO LLAMÓ *CUADRATISMO*

Alegoría del viento

A diferencia de otros murales comentados aquí, éste de Roberto Montenegro no es narrativo, es decir, no cuenta una historia. Para decorar al **fresco** los muros del ex Colegio Máximo de San Pedro y San Pablo, hizo esta obra que fue trasladada en 1965 al Palacio de Bellas Artes. Muestra la imagen de un ángel, al estilo del ***art déco***. Su rostro es anguloso y su figura alargada, tiene las alas extendidas y los brazos abiertos en cruz. El ángel es elevado por el soplo de unos Eolos, o dioses del viento, representados por dos cabezas humanas, una en cada lado de la parte inferior. Montenegro utilizó pocos colores, principalmente el blanco y el gris, con ellos creó claroscuros y reflejos luminosos. El pintor puso otro leve toque de color en el triángulo a los pies del ángel, y otro detrás de su cabeza, como si fuera una aureola. En el fondo de tonalidades grises, un juego de triángulos da la impresión de ráfagas de viento y de luz.

Soy Eolo, dios del viento de la mitología griega.
Vivo en la isla de Eolia con mis hijos.
Zeus me dio el poder de controlar los vientos.

La piedad en el desierto

Se llama Piedad a la representación plástica del cuerpo de Cristo, sin vida, en el regazo de su madre. Este tema bíblico, muy común en las artes plásticas, fue pintado por Manuel Rodríguez Lozano en uno de los muros de un palacio, muy distinto al de Bellas Artes: el "Palacio negro" de Lecumberri, cuando éste era penitenciaría del Distrito Federal, donde el pintor fue encarcelado injustamente por cuatro meses. Paul Westheim, estudioso del arte mexicano, analiza la estructura triangular de este fresco: "una pirámide, que descansa sobre ancha base y cuyo vértice es la cabeza de la Virgen. El rebozo une la cabeza con el cuerpo, convirtiéndolos en una sola masa. A la derecha la silueta de la manga se continúa en la línea de las piernas. El segundo lado del triángulo lo forman las cabezas de madre e hijo y la pierna derecha de la madre. Los pies abajo y la línea de remate del cuerpo exánime se despliegan en la horizontal". Westheim hace notar también los "colores fríos, opacos", sin vida, y concluye: "Esta Piedad, en su honda melancolía y resignación, de contenida angustia, es una piedad muy mexicana".

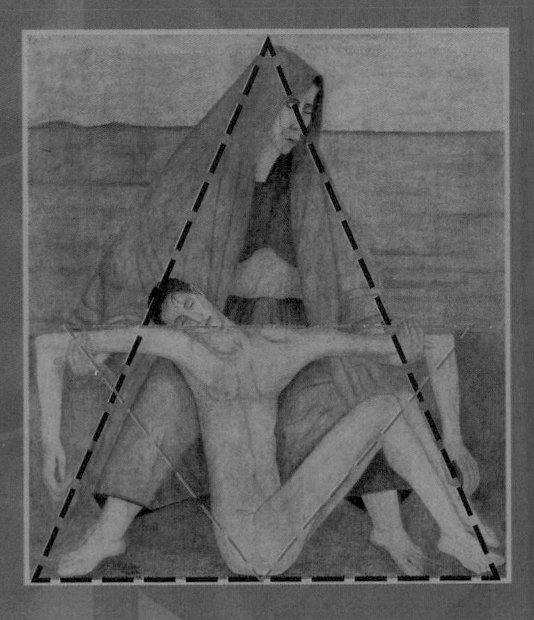

¿Qué carga Agustín Lorenzo al hombro?

¿Qué hace este soldado francés?

Carnaval de la vida mexicana

En 1936 Diego Rivera recibió el encargo de pintar cuatro tableros para el Hotel Reforma, en la ciudad de México, que finalmente fueron colocados en el Palacio. Rivera decidió pintar el carnaval de Huejotzingo, Puebla, único en el mundo. En esta fiesta miles de niños y adultos, ataviados con trajes de gran colorido, representan la lucha de los **zacapoaxtlas** contra los invasores franceses de 1862. Éste es el tema aparente, pero en realidad se trata de una **sátira** social. En el primer tablero, titulado *La dictadura*, aparecen personajes con máscaras de cochinos, asnos y otros animales que se parecen a personalidades de la vida política de esa época. En el segundo Rivera pintó danzantes con penachos, se llama *Danza de los Huichilobos*. En un primer plano del tercer tablero, titulado *México folklórico y turístico*, destacan unos **chinelos**, un niño con disfraz amarillo y la muerte encapuchada; al fondo, una turista rubia. *La leyenda de Agustín Lorenzo*, el cuarto tablero, trata sobre un bandido que luchó conta los franceses y raptó a una muchacha; Rivera pintó la figura de un jinete que recuerda la de un zapatista. Parece la escena de una película ¿verdad?

CHINELO

DIBUJO DE A. BOARI

DIBUJO DE M. RAMÍREZ

Museo Nacional de Arquitectura

Dibujo de E. Brandt

¿Alguna vez has visto planos, esos dibujos a escala que hacen los arquitectos en los que representan las partes del edificio o la casa que tienen en mente, con indicaciones para su construcción? Pues en el Museo Nacional de Arquitectura se conservan los planos originales del Palacio de Bellas Artes, realizados por los arquitectos Adamo Boari y Federico Mariscal. También hay planos de arquitectos contemporáneos.

Las exposiciones de este Museo presentan lo más destacado de la arquitectura contemporánea y el urbanismo de México y de otros países. Allí se reúnen planos y maquetas, así como colecciones fotográficas de obras arquitectónicas de gran interés, ejemplo de ello fue la exposición temporal sobre la arquitectura del Pedregal de San Ángel (ciudad de México), proyecto desarrollado entre 1940 y 1975, por grandes arquitectos como Luis Barragán, Antonio Attolini, Francisco Artigas y otros.

En ocasiones se presentan muestras de arquitectura de otros siglos. Muchas de las exposiciones producidas por el Museo se envían a otras ciudades de la República.

Dibujos de F. Mariscal

Imagina...

Llegamos al final de este recorrido por el Palacio de Bellas Artes, considerado *el máximo recinto cultural de México.* Algunos escritores le han dado sobrenombres como "el Blancote" y el "Teatro Blanquito", porque a unos pasos se encuentra el muy popular Teatro Blanquita. El poeta Octavio Paz lo llamó el "marmomerengue" (sí, a los poetas les gusta jugar con las palabras). También lo han llamado "el plastodonte blanco" y "pastelote". Lo cierto es que el Palacio de Bellas Artes forma parte del **patrimonio cultural** de los mexicanos y sus puertas están abiertas a todas las personas que tengan la curiosidad de conocerlo y el deseo de acudir a la cita con las musas que ahí nos esperan.

Imagina que un gran mago lo desapareciera de repente, ¡qué huecote habría en Avenida Juárez número 1 y en nuestra vida cultural! Imagina que otro mago malvado eliminara las artes. ¿Qué sería de nosotros sin mitos, ni leyendas, ni cuentos, ni novelas, ni poemas, en una palabra: sin literatura? ¿Cómo sería la vida sin música, ni canto, ni danza, ni teatro, ni cine, llamado el *séptimo arte*? Hueca y aburrida. ¿Cómo sería nuestro mundo sin arquitectura, ni pintura, ni escultura? Impensable. ¡Qué dicha que haya músicos, bailarines, actores, pintores, arquitectos, escultores, cantantes, escritores y poetas! Ellos enriquecen nuestras vidas. ¡Qué bueno que tenemos nuestro Palacio de Bellas Artes y muchos otros centros culturales por todo México! ¡Y qué gusto que todos estemos invitados al festín de las artes!

Sólo para curiosos

¿Qué significa Pegaso?

Según una leyenda, Pegaso había nacido en las fuentes del Océano, hijo de Posidón, Señor del Océano, y de la Gorgona Medusa. Su nombre, de origen griego, significa fuente o manantial. Era un corcel blanco con alas doradas, que vivía en el monte Helicón. En invierno, cuando la nieve cubría la hierba, lo alimentaban las musas. Se cuenta que con una coz, o golpe de una de sus patas, Pegaso hacía brotar fuentes, y que las aguas de la llamada *fuente del caballo* daban inspiración poética a quien las bebía. Dicen los que saben que Pegaso simboliza el vuelo de la imaginación creadora.

¿Qué pasó con el hundimiento del Palacio?

En 1907 empezó a notarse que la construcción se hundía, para remediar el problema, en 1910 se aplicaron inyecciones de cemento y cal. Con el tiempo, el hundimiento se detuvo. El edificio descendió aproximadamente dos metros y así se ha mantenido.

¿Qué es el INBA?

El Instituto Nacional de Bellas Artes, o INBA, se fundó en 1946 para apoyar la creación artística y promover actividades musicales, literarias, teatrales, de danza y de artes plásticas. El Instituto trabaja en toda la República con el fin de acercar esta oferta cultural a muchos públicos El INBA cuenta con museos y centros de investigación y de educación artística para niños y jóvenes, así como escuelas profesionales donde se forman los futuros músicos, cantantes, bailarines, pintores, actores, etcétera. El Palacio de Bellas Artes es uno de los principales órganos del INBA.

¿Qué quiere decir...?

A continuación encontrarás las palabras que aparecen en letra **gorda** en las páginas anteriores y su significado dentro del texto de esta guía.

aforo: Número total de butacas o localidades de un teatro.

alegórico: Relacionado con la alegoría. Ésta es la representación de una idea mediante imágenes, símbolos o figuras.

altorrelieve: Relieve en el que las figuras o motivos son muy abultados.

arquitectura: Arte de diseñar y construir edificios.

art déco: Nombre en francés del estilo de las artes decorativas que se distingue por utilizar materiales como mármol, latón, cobre, ébano, laca, esmalte y cristal; y porque usa muchas líneas rectas y formas geométricas.

arte-objeto: Técnica utilizada para hacer cajas con escenografías, u objetos de tres dimensiones en los que se combinan elementos que en la vida diaria no tienen relación entre sí.

artes plásticas: Las "artes de la forma" son la arquitectura, la escultura y la pintura. Actualmente se incluyen nuevas formas de manifestación artística, por ejemplo, las generadas por computadora (arte digital) o con cualquier otro elemento no tradicional.

ballet: Combinación de música, danza y mímica. Todos los movimientos del ballet empiezan o terminan con una de cinco posiciones básicas. Espectáculo de un grupo de danza, con música, escenografía y vestuario.

burgués: Que pertenece a la burguesía, el grupo social poseedor de la riqueza.

capitalista: Que corresponde al capitalismo o practica el sistema económico y social basado en la propiedad privada de los medios de producción.

cimientos: Parte de una construcción que está bajo tierra y la sostiene.

comedia: Obra teatral de enredo y desenlace festivos, para divertir.

composición: En una pintura, escultura o fotografía es la manera en que están colocados los elementos de la obra.

coreografía: Arte de componer o crear danzas. Conjunto de pasos y movimientos que conforman un espectáculo de danza.

coreógrafo: Creador o director de coreografías.

crítico de arte: Escritor que analiza obras de arte o la actuación de artistas y expresa su juicio u opinión al respecto.

chinelo: Palabra derivada del vocablo náhuatl, *tzineloa*, significa "meneo de cadera", es el nombre de un personaje festivo originario del estado de Morelos, que también aparece danzando y brincando en las fiestas de pueblos del estado de Puebla y del Distrito Federal, y que representa a los españoles.

danza: Arte de expresar ideas y emociones mediante movimientos rítmicos del cuerpo, al compás de una música o de un acompañamiento sonoro pero no musical. **Clásica**. Utiliza la técnica del ballet clásico. Los ballets clásicos casi siempre narran una historia. Las bailarinas usan zapatos especiales para bailar de puntas. **Contemporánea**. La que se crea en nuestro tiempo. Los bailarines no se apegan a una técnica fija y con frecuencia bailan descalzos. **Folklórica** o regional. Propia del conjunto de tradiciones, fiestas y costumbres de un pueblo o una región. **Moderna**. Es la creada en el siglo XX, como un movimiento que se aparta de la danza clásica, en busca de una danza más libre.
drama: En el sentido amplio, obra teatral. En sentido restringido, obra teatral de tema serio o triste.
dramaturgo: Escritor de dramas u obras teatrales.
escenificar: Dar forma teatral a una obra para representarla o ponerla en escena.
escuela: En el arte, conjunto de personas que sigue a un maestro, una misma doctrina, un método o comparten un estilo. Conjunto de obras producidas por los seguidores de una misma tendencia o estilo.
escultura: Arte de modelar, tallar, labrar o esculpir en piedra, mármol, barro, madera, bronce, u otros materiales figuras diversas en relieve o de bulto, en tres dimensiones: altura, anchura y profundidad. Obra de un escultor.
estilizado: Representación artística de una cosa reducida a sus elementos característicos, o esquematizada.
estructura: Orden y distribución de las partes de un todo. Armazón que sirve de soporte a un edificio.
exposición: Presentación en público de un conjunto de obras de arte o de objetos diversos. Los museos ponen exposiciones **temporales** y **permanentes**. Estas últimas muestran piezas de las colecciones del propio museo y siempre están en exhibición.
fascismo: Sistema político antidemocrático, originado en Italia, que toma el poder o se mantiene en él mediante la fuerza y la represión.
folklórico: O folclórico, relativo al folclore o conjunto de costumbres, creencias, fiestas y tradiciones de un pueblo o región.
fresco: Pintura mural consistente en la aplicación de colores disueltos en agua sobre un muro recubierto de yeso todavía que todavía no se seca, para que la pintura quede embebida en el recubrimiento.
frigio: El gorro frigio fue el emblema de la libertad en la época de la Revolución francesa.
impresionista: Pintor del siglo XIX que pinta al aire libre y representa los objetos según la impresión producida por los cambios de la luz.
jazz: Género musical derivado de los ritmos afroamericanos, de ritmo cambiante y melodía sincopada, cuyos intérpretes tienen libertad de improvisación.

libreto: Texto de una obra de teatro, una ópera o un ballet.
lírica: Perteneciente a la lira (instrumento musical antiguo) o a la poesía propia para el canto.
literatura: Arte que emplea la palabra hablada o escrita como medio de expresión. Esto significa que hay literatura oral y escrita.
marxista: Relativo al marxismo. Seguidor de la doctrina de Carlos Marx, filósofo y economista alemán, que aspira a conseguir una sociedad sin clases.
mímica: Arte de expresarse mediante gestos y ademanes.
montaje: En teatro se refiere a la puesta en escena de una obra. En artes plásticas, a montar o poner una exposición.
monumental: De gran tamaño, muy impresionante.
mosaico: Técnica para decorar pisos, paredes y techos con piezas de piedra, vidrio o cerámica de colores, llamadas teselas que, ensambladas e incrustadas sobre una superficie, forman diseños.
mural: Pintura realizada o colocada sobre un muro. **Muralismo**: Arte del mural.
museo: Palabra de origen griego que significa "lugar donde habitan las musas". Los museos de arte coleccionan, cuidan, resguardan, estudian y exhiben obras de arte.
música: Arte de combinar sonidos de manera que el conjunto resulete agradable o interesante. La **música de cámara** es la compuesta para un pequeño grupo de instrumentos. La **música sinfónica** es la interpretada por una orquesta sinfónica, conformada por músicos que tocan diferentes tipos de instrumentos: de viento, de cuerda y de percusión. Algunas grandes orquestas son llamadas **filarmónicas**.
nicho: Hueco en un muro en el que se coloca una estatua o cualquier otro objeto decorativo.
nupcias: Ceremonia del casamiento o matrimonio. Bodas.
obra maestra: Creación de excelente calidad de un artista, notable en su género.
opalescente: Parecido al ópalo, en la manera de reflejar la luz.
patrimonio cultural: Conjunto de bienes culturales pertenecientes a una nación, heredado de generaciones pasadas. El de México incluye monumentos como las pirámides y los edificios coloniales. También son parte de esa herencia las costumbres, fiestas y tradiciones populares, las lenguas indígenas y la castellana, los mitos y leyendas, los saberes tradicionales como la herbolaria, la cocina regional, las artesanías; la música y las danzas tradicionales, las creencias y los sistemas de valores.
pintura: Arte de representar imágenes mediante la aplicación de colores o pigmentos sobre una superficie.
poesía: Género literario, frecuentemente en verso, puede ser rimado o no; expresa ideas y sentimientos mediante metáforas e imágenes. La poesía **lírica** canta o expresa los afectos y sentimientos del poeta. La **épica** se refiere a las hazañas de un héroe.

pórtico: Entrada a un edificio, cubierta y soportada por columnas.
recinto: Espacio o lugar cerrado, o delimitado.
repertorio: Conjunto de obras musicales, teatrales o coreográficas que un intérprete o grupo artístico tiene preparadas para ejecutarlas o representarlas.
sátira: Crítica, generalmente escrita, de alguien o algo en tono de burla cuya intención es ridiculizar a personas o cosas.
sinfonía: Composición musical de larga duración genaralmente dividida en tres o cuatro partes llamadas movimientos; su ejecución requiere de una orquesta sinfónica.
Conjunto de voces, de instrumentos, o de ambas cosas, que suenan acordes a la vez.
socialismo: Sistema político, social y económico basado en la idea de que los bienes son propiedad común de todos los individuos.
teatro: Sustantivo derivado de la palabra griega *théatron*, cuyo origen es el verbo *theáomai*, que significa veo, miro, soy espectador. En la antigua Grecia se llamaba teatro a la gradería desde la cual se presenciaba una representación dramática. También se denomina así al género literario cuyas obras son escritas para ser representadas. Edificio o local destinado a la representación de obras dramáticas.
técnica: Procedimientos que se siguen para la elaboración de un objeto o para la ejecución de una actividad.
temporada: Espacio de varios días, meses o años que se consideran aparte formando un conjunto o tiempo durante el cual se realiza habitualmente algo.
textura: Se dice de la apariencia táctil que logra un artista plástico al utilizar distintos materiales para que su obra parezca lisa, suave, sedosa, aterciopelada, áspera o rugosa.
titánico: Propio de un titán o persona extraordinaria en algún aspecto. Gigantesco.
tragedia: Obra de teatro que plantea un conflicto humano sin solución y con un desenlace desastroso.
tramoya: Maquinaria teatral con la que se realizan cambios de decoración y efectos especiales en el escenario.
urbanismo: Estudios y técnicas para la planeación, el diseño, la reforma y el desarrollo de las ciudades, y conjunto de técnicas para aplicar las conclusiones obtenidas del estudio.
utilería: Conjunto de objetos manuales y decorativos utilizados para una representación teatral. **Utilero**. Persona encargada de la utilería en un teatro.
vitral: Conjunto de piezas de vidrio de colores montadas sobre un armazón de plomo que forman una composición ornamental y que se utiliza principalmente para cubrir el hueco de una ventana o para dejar pasar la luz por un techo. También se le llama emplomado.
Zacapoaxtla: Ciudad de la Sierra Norte del estado de Puebla. Muchos indígenas zacapoaxtlas formaron parte del batallón que luchó heroicamente contra el ejército francés en la invasión de 1862.

Otros paseos por el arte

A continuación te proporcionamos información de algunos museos y otros lugares de la ciudad de México donde puedes ver más obras de arte y espectáculos artísticos. En la mayoría de estos recintos se organizan actividades especiales para niños. La lista de museos y centros culturales del INBA en toda la República sería muy larga para incluirla aquí. Si quieres conocer más, pregunta e investiga. En los alrededores del Palacio de Bellas Artes hay otros sitios de interés, como la Alameda Central, y más palacios: el Palacio de Correos, también proyectado por el arquitecto Adamo Boari; el Palacio de Minería, obra del arquitecto valenciano Manuel Tolsá; el ex Palacio de Comunicaciones, del arquitecto italiano Silvio Contri, que actualmente es la sede del Museo Nacional de Arte; y el Palacio de Iturbide.

Centro Nacional de las Artes
Río Churubusco 79
Esq. Calzada de Tlalpan
Col. Country Club/ Cerca de la estación General Anaya del metro

Ciudad Universitaria
Av. Insurgentes Sur s/n
Delegación Coyoacán
• Biblioteca Central, mural de Juan O'Gorman
• Estadio Universitario, mural de Diego Rivera
• Torre de Rectoría, murales de David Alfaro Siqueiros
• Espacio Escultórico, obras de Helen Escobedo, Manuel Felguérez, Mathías Goeritz, Sebastián, Federico Silva y Hersúa
Lunes a domingo, 9-18 hrs.

Museo de Arte Carrillo Gil
Av. Revolución 1808
Col. San Ángel
Tels. 55 50 62 89, 55 50 62 60
Martes a domingo, 10-18 hrs.

Museo de Arte Contemporáneo Internacional Rufino Tamayo
Paseo de la Reforma y Gandhi s/n
Bosque de Chapultepec
Tels. 52 86 59 39, 52 86 65 19
Martes de domingo, 10-18 hrs.

Museo de Arte Moderno
Paseo de la Reforma y Gandhi s/n
Bosque de Chapultepc
52 11 87 29 y 55 53 63 13, ext 107
Martes a domingo, 10 a 17 hrs.

Museo Mural Diego Rivera
Colón esq. Balderas s/n
Plaza Solidaridad
Centro Histórico
Tel. 55 12 07 54
Martes a domingo, 10- 18 hrs.

Museo Nacional de Arte
Tacuba 8, Plaza Tolsá
Centro Histórico
Metro: Hidalgo, Juárez y Bellas Artes
Martes a domingo, 10:30 a 17:30 hrs.
Entrada libre

Museo Nacional de Historia, Castillo de Chapultepec
Primera sección del Bosque de Chapultepec
Te. 55 53 63 96
Martes a domingo 9- 17 hrs.

Secretaría de Educación Pública
Argentina 28, Centro Histórico
Delegación Cuauhtémoc
Lunes a viernes 10- 17 hrs.
• Murales de Rivera y Orozco

Si quieres saber más...

Busca estos libros en bibliotecas públicas y escolares y en librerías.

- Veronique Antoine-Andersen, *El arte para comprender el mundo*, ediciones Serres, *Abrapalabra* editores, México, 2005

- Juan Arturo Brennan, *Cómo acercarse a la música*, CONACULTA/ Plaza y Valdés, México, 1988

- Patricia Cardona, Berta Hiriart, Estela Leñero Franco y Alejandro Matzumoto, *El mundo de la danza*, Ediciones El Naranjo, México, 2005

- Alberto Dallal, *Cómo acercarse a la danza*, CONACULTA/ Plaza y Valdés, México, 2001

- Eunice Cortés y Laura Cortés, *Diego rana pintor*, SEP, México, 1988

- Angelina de la Cruz y Marcia Larios, *Mi memoria es...El patrimonio cultural de México*, CONACULTA, México, 2001

- Béatrice Fontanel, Claire d'Harcourt, *Los teatros del mundo*, Ediciones SM, Biblioteca interactiva, Serie Música y artes escénicas, Madrid 1994

- Robert Graves, *Dioses y héroes de la antigua Grecia*, Editorial Lumen, Grandes Autores, España, 1960

- Berta Hiriart, Estela Leñero Franco, Alejandro Matzumoto y Giovanna Recchia, *El mundo del teatro*, Ediciones El Naranjo, México, 2003

- Diego Jáuregui y Luis Rius, *Diego Rivera*, CIDCLI, INBA-SEP, México, 2002

- Francesco Milo, *Historia de la arquitectura*, Los Maestros del Arte, Serres, DoGi spa, Florencia, Italia, 1999

- Michael Page, Robert Ingpen, *Enciclopedia de las cosas que nunca existieron. Criaturas, lugares y personas*, Anaya, Madrid, 1988

- Elisa Ramírez Castañeda, *Rufino Tamayo vuela con sus raíces*, Circo de Arte, CONACULTA, México, 1999

- Bárbara Velarde, Francisco González y García, *Aída en el Palacio de Bellas Artes*, DGE/Equilibrista/ Instituto Nacional de Bellas Artes, México, 2004

- Jeannette Winter y Jonah Winter, *Diego*, Scholastic, Nueva York, 1991

Guías de Exploradores

La coección *Guía de Exploradores*, que forma parte de la serie *Guías de México y su patrimonio*, es publicada por México Interactivo, el Grupo Editorial Miguel Ángel Porrúa y el CONACULTA. Es una invitación a descubrir, de manera divertida, los horizontes de la historia y del arte. Otros títulos publicados en 2005 y 2006 son:

- Katie Abrams, *Una visita a Tulum*
- Susana Ríos Szalay y Elisa Ramírez Castaneda, *Una visita al Museo de Arte Moderno*
- Salvador Rueda Smithers, *Una visita al Castillo de Chapultepec, Museo Nacional de Historia*
- Verónica Loera y Chávez, *Una visita al Centro Cultural Santo Domingo de Oaxaca*

¿Sabes qué...?

Durante todo el año en el Palacio de Bellas Artes siempre estamos pensando en tí.
Por eso durante todo el año te ofrecemos visitas guiadas, funciones, conciertos, actividades y talleres para que te acerques a las artes. Infórmate en nuestros módulos del vestíbulo y en la página de internet **www.cnca.gob.mx**, o a los teléfonos 55 12 14 10 al 15, exts. 253 y 254.
En el tercer nivel del Palacio de Bellas Artes está también el Museo Nacional de Arquitectura, que ofrece su propio progama de actividades y visitas para chicos y grandes, consulta en el teléfono 55 12 14 10, ext. 300.
Nuestro horario de visitas para los museos es de martes a domingo, de 10 a 18 horas.
La entrada es gratuita para niños menores de 12 años, estudiantes, maestros y miembros del INAPAM con credencial vigente, y para el público en general todos los domingos.

Para saber los horarios de los espectáculos artísticos, consulta la cartelera en los periódicos y en internet.

Créditos fotográficos y de ilustración

Fotografías de portada y pp. 3, 7, 8, 10, 11, 12, 13, 14, 15, 16, 17, 18, 19, 20, 21, 22, 23, 24, 25, 26, 27, 28, 29, 30, 32, 33, 34 superior e inferior izquierda, 35, 36 superior derecha, 52, 54, 55 y contraportada: Gerardo Peña, INBA. Fotografías, pp. 4, 5, 7 superior, 9, 11 superior, 12 inferior, 13 inferiores y superior derecha, 17 izquierda, 31, 34 inferior derecha, 44, 51 y contraportada: Archivo INBA . Fotografías de los murales, pp. 36, 37, 38, 39, 40, 41, 42, 43, 45, 47, 48 y 50: Bob Schalkwijk. Diagrama del teatro, p. 33: Carlos Incháustegui.

Obras

Dibujos arquitectónicos, pp. 4, 6, 9, y 52: Adamo Boari, colección INBA. Dibujos arquitectónicos, pp. 17 y 53: Federico Mariscal, colección INBA. Dibujos arquitectónicos , p. 53: Mayolo Ramírez, colección INBA. Diseño y ejecución del mural del arco del proscenio, pp. 22 y 23: Géza Maróti, Aladar Körösfôi y Max Róth. Pegasos, pp. 8 y 9: Agustín Querol. Tallas en mármol, pp. 10 y 11: Leonardo Bistolfi. Tallas en marmol, portada, pp. 12 y 13: Fiorenzo Gianetti. Vitral, pp. 20 y 21: Géza Maróti. Mural, pp. 36 y 37, *El hombre en el cruce de caminos,* 1934, 11.5 x 4.80 m, Diego Rivera. Mural, pp. 38 y 39, *Khatarsis,* 1934-1935, 11.46 x 4.46 m, José Clemente Orozco. Mural, pp. 40 y 41, *Nueva democracia,* 1944, 11.28 x 5.10 m, David Alfaro Siqueiros. Mural, pp. 42 y 43, *Nacimiento de la nacionalidad,* 1952, 11.28 x 5.10 m, Rufino Tamayo. Mural, pp. 44 y 45, *Liberación,* 1953- 1963, 9.93 x 4.50 m, Jorge González Camarena. Mural, p. 47, *Alegoría del viento,* 1928, 3.01 x 3.26 m, Roberto Montenegro. Mural, p. 48, *La piedad en el desierto,* 1942, 2.29 x 2.60 m, Manuel Rodríguez Lozano. Mural, p. 50, *Leyenda de Agustín Lorenzo,* 1936, 2.10 x 3.88 m, Diego Rivera. Mural, p. 51, *México folklórico y turístico* (fragmento), 1936, 2.10 x 3.88 m, Diego Rivera.

Agradecimientos

La serie *Guía de Exploradores* agradece el apoyo de las siguientes personas e instituciones: Museo Nacional de Arquitectura; Museo del Palacio de Bellas Artes; José Luis Durán King; Saúl Santana Becerra; José Rojas Patiño; Gabriela Grisi; Rebeca Ramírez; Carlos Incháustegui y Concepción Reyes M.

Instituto Nacional de Bellas Artes

Mtro. Saúl Juárez, *Director General*
Mtro. Daniel Leyva, *Subdirector General*
Lic. Patricia Pineda, *Directora de Difusión y Relaciones Públicas*

México, 2006